Igreja revitalizada

Igreja revitalizada

Por uma missão verdadeiramente transformadora

LEANDRO SILVA

MUNDO CRISTÃO

Copyright © 2022 por Leandro Silva Virginio

Os textos bíblicos foram extraídos da *Nova Versão Transformadora* (NVT), da Tyndale House Foundation, salvo indicação específica.

Todos os direitos reservados e protegidos pela Lei 9.610, de 19/02/1998.

É expressamente proibida a reprodução total ou parcial deste livro, por quaisquer meios (eletrônicos, mecânicos, fotográficos, gravação e outros), sem prévia autorização, por escrito, da editora.

Imagem de capa: Armand Khoury / Unsplash

CIP-Brasil. Catalogação na publicação
Sindicato Nacional dos Editores de Livros, RJ

S58li
  Silva, Leandro
   Igreja revitalizada : por uma missão verdadeiramente transformadora / Leandro Silva. - 1. ed. - São Paulo : Mundo Cristão, 2022.
   72 p.   (Sementes)

   ISBN 978-65-5988-097-3

   1. Renovação da Igreja - Doutrina bíblica. 2. Cristianismo. 3. Reavivamentos - Doutrina bíblica. I. Título. II. Série.

22-76997
CDD: 269.24
CDU: 27-636

Meri Gleice Rodrigues de Souza - Bibliotecária - CRB-7/6439

Categoria: Igreja
1ª edição: maio de 2022
1ª reimpressão: 2022

Edição
Daniel Faria

Revisão
Natália Custódio

Produção e diagramação
Felipe Marques

Colaboração
Ana Luiza Ferreira
Marina Timm

Capa
Ricardo Shoji

Publicado no Brasil com todos os direitos reservados por:

Editora Mundo Cristão
Rua Antônio Carlos Tacconi, 69
São Paulo, SP, Brasil
CEP 04810-020
Telefone: (11) 2127-4147
www.mundocristao.com.br

Sumário

Prefácio 7
Introdução 11

1. Igreja: é preciso revitalizar! 16
2. Sinalizando o reino de Deus na cidade 32
3. Em direção ao movimento urbano do evangelho 44

Conclusão 59
Agradecimentos 65
Notas 67
Sobre o autor 71

Prefácio

Todo crescimento traz consigo oportunidades e riscos. Como não ser grato a Deus pela expansão do testemunho cristão no Brasil e o surgimento de novas comunidades de fé? Como, todavia, não clamar ao Senhor por misericórdia quando, no meio desse crescimento, se evidenciam situações que produzem escândalo, dor e constrangimento? Nossa história está marcada por essas situações críticas, descritas nas Escrituras com a metáfora do sal que perde o sabor. Elas resultam em um triste testemunho público, em que o sal é pisado, descartado, indicando a dramática realidade do sal que já não cumpre sua função.

No que se refere ao crescimento da igreja evangélica brasileira, é importante dizer que nem tudo o que cresce é bom, nem toda forma de crescimento é adequada. Todo crescimento deve ser qualificado. Às vezes, trata-se apenas de folhas e não de frutos. À medida que o crescimento evangélico se intensifica, faz-se cada vez mais necessária a sabedoria daqueles que, com temor, prudência, coragem, disciplina e exemplo de compromisso, nos ajudam a cuidar para que o processo de crescimento não resulte em uma negação vocacional.

Nas Escrituras temos o registro do que aconteceu com a jovem igreja cristã. Sessenta anos após a morte do Senhor Jesus, a igreja seguia experimentando forte crescimento, apesar das adversidades a seu redor. Em seus primeiros dias, a igreja entendeu que Jesus não lhe havia enviado para fazer discípulos numa situação ideal. A realidade era marcada tanto por desafios externos como internos. Os desafios que vinham de dentro, contudo, nem sempre eram identificados com a mesma prontidão de discernimento como aqueles que surgiam de fora.

Os capítulos iniciais de Apocalipse descrevem essa crise de percepção na vida da igreja. Uma coisa era o que as igrejas pensavam sobre si, outra coisa era o que o Senhor, que caminha no meio de sua igreja, via em cada uma delas. Essa perspectiva de Jesus resultou num convite para que a igreja passasse por um profundo processo de revitalização. As igrejas haviam se tornando tão parecidas com a realidade à sua volta que foi necessária uma nova visitação do Senhor, uma percepção renovada de Jesus para que cada igreja pudesse, em seu contexto específico, remodelar sua experiência histórica de obediência missionária. Uma revitalização que nasce de uma perspectiva renovada de seu Senhor, de uma escuta atenta de sua palavra e de uma confrontação profunda com a realidade de cada igreja.

Qual a finalidade dessa revelação em Patmos? O que estaria acontecendo naquelas igrejas que exigiu essa revelação? Será que a acomodação das igrejas à realidade de entorno as conduziu a uma situação na qual Jesus estaria desfigurado, reduzido a documentos confessionais? Teria o Senhor sido "desconstruído" para se tornar aceitável a determinada realidade geracional? Diante dos desafios e dos poderes do mal, somente uma igreja que encarne e proclame a Jesus Cristo, o soberano da história, pode responder adequadamente à realidade de seu contexto, sendo uma agência de transformação local.

Em *Igreja revitalizada*, temos um convite para rever nossos caminhos como igreja. Leandro Silva nos oferece critérios pelos quais podemos avaliar nossa prática de obediência missionária, nos inspira com os exemplos daquilo que Deus tem feito muito perto de nós, e aponta caminhos de transformação que sinalizam a presença do reino de Deus na cidade. Breve mas com uma teologia robusta, esta leitura empolgante nos mobiliza e promove o necessário diálogo sobre nossos rumos como igreja. As reflexões aqui contidas nascem da experiência ministerial de vários anos do autor com a ALEF, organização que tem sido usada por Deus para a renovação e inspiração vocacional de muitos. É impossível não ter o coração aquecido ao ouvir os relatos de transformação realizada pelo poder do evangelho, mediante a obediência missionária das muitas igrejas que têm sido parte desse caminhar solidário em missão.

Que Deus use o conteúdo deste livro como instrumento de ânimo e correção de rumos. Que nos ajude a ser, como igreja, essa agência de transformação, expressão do reino de Deus na terra, o sal que mantém todas as suas propriedades, cumprindo assim o seu propósito.

ZIEL J. O. MACHADO,
pastor da Igreja Metodista Livre — SP
e vice-reitor do Seminário Servo de Cristo

Introdução

Quando o assunto é revitalização de igrejas, importa enfatizar desde o início que não estamos nos referindo ao crescimento numérico de congregações locais. Em nossa cultura, temos a infeliz tendência de avaliar o desenvolvimento das comunidades de fé unicamente pelo tamanho do templo, o número de frequentadores e o volume das entradas financeiras. Essa é uma tendência perigosa por pelo menos dois motivos:

Primeiro, porque nem tudo o que cresce em tamanho sinaliza saúde. O missiólogo Orlando Costas, em artigo escrito ainda na década de 1980, usa exemplos como o do câncer e da erva daninha para ilustrar que determinadas formas de crescimento na verdade são danosas à saúde de pessoas e da sociedade.[1] Nem tudo o que cresce é bom. Nem tudo o que cresce é saudável.

Segundo, porque o impacto que Deus espera de seu povo no mundo vai além do crescimento em quantidade. Na verdade, encontramos poucas referências a crescimento numérico no livro de Atos, que relata os primórdios da igreja cristã. Em Atos 2.41 lemos que "os que acreditaram nas palavras de Pedro foram batizados, e naquele dia houve um acréscimo de cerca de três mil pessoas". Por sua vez, Atos 4.4 destaca: "Muitos que tinham ouvido a mensagem creram, totalizando, agora, cerca de cinco mil homens". O livro então cessa de informar números, limitando-se a usar expressões como "o número de discípulos crescia" (6.1) e "o número de discípulos se multiplicava em Jerusalém" (6.7).

No restante de Atos o que encontramos é uma ênfase muito maior no impacto, na missionalidade, na identidade e no foco da igreja. Logo no capítulo 8, após o martírio de Estêvão, inicia-se uma perseguição que impulsiona a igreja para a Judeia e Samaria. Em seguida, vemos encontros transculturais como o de Felipe e o etíope (8.26-40) e o de Pedro e Cornélio (cap. 10), testemunhos de crentes dedicados a boas obras como Dorcas (9.36-41), e relatos como o do testemunho da igreja de Antioquia da Assíria, onde "os discípulos foram pela primeira vez chamados cristãos" (11.26), e da acusação feita contra os discípulos em Tessalônica: "Aqueles que têm causado transtornos no mundo todo agora estão aqui" (17.6).

De igual modo, as cartas dos apóstolos — e também as do Senhor Jesus em Apocalipse — não trazem perguntas como "Quantos membros vocês têm?", "Qual o tamanho do prédio em que vocês se reúnem?", "Qual o volume de suas entradas financeiras?". Elas refletem uma preocupação muito mais profunda com a maturidade da igreja, sua missão e seu impacto no mundo.

Sendo assim, qual deve ser nossa postura? Mais uma vez, foi Orlando Costas o autor latino-americano que mais nos ajudou a entender o crescimento da igreja como um processo amplo e complexo, propondo um critério de avaliação teológico fundamentado em três qualidades que fluem da natureza da igreja como comunidade do Espírito, corpo de Cristo e povo de Deus: espiritualidade, encarnação e fidelidade.

> A espiritualidade tem a ver com a presença e a operação dinâmica do Espírito Santo no crescimento da igreja: se o crescimento corresponde à inspiração e motivação do Espírito e reflete seus frutos. Por

encarnação se entende o enraizamento histórico de Jesus Cristo na dor e nas aflições da humanidade e seu impacto no processo do crescimento da igreja. Em outras palavras, até que ponto a igreja está vivenciando um crescimento que reflete a compreensão, o compromisso e a presença de Cristo entre as multidões desamparadas e dispersas? Por último, a fidelidade tem a ver com a coerência entre a ação da igreja e os propósitos de Deus para seu povo. Dito de outra forma, em que medida o crescimento que a igreja está vivenciando corresponde às ações de Deus na Bíblia e seus desígnios na história?[2]

Uma vez que, para Costas, a igreja local é "uma comunidade a caminho do Reino de Deus, atenta à Palavra de Deus, que vive na comunhão de seus membros e está a serviço da humanidade", seu crescimento deve apontar também para quatro direções: "para a reprodução de seus membros, para o desenvolvimento de sua vida orgânica, para o aprofundamento na reflexão da fé e para o serviço eficaz no mundo". Trata-se, portanto, de quatro dimensões: "numérica, orgânica, conceitual e diaconal", e é apenas na integração dessas dimensões que se dá um crescimento saudável para a igreja e para a sua missão no mundo.[3]

Muitas igrejas não estão experimentando renovação em nenhuma dessas quatro dimensões, enquanto outras têm se desenvolvido bem em alguns desses aspectos, permanecendo, contudo, estagnadas em outras áreas essenciais para um desenvolvimento saudável e transformador.

Nossa oração é que o conjunto de artigos aqui compilados contribua com o ministério de líderes cristãos comprometidos com a integridade de seu chamado no esforço para que, pela graça e para a glória de Deus, as igrejas vivenciem um processo de revitalização e alcancem equilíbrio saudável como comunidades locais de discípulos de Jesus profundamente engajadas na missão.

1
Igreja: é preciso revitalizar!

Alguns anos atrás, fazíamos uma série de visitas a igrejas nas imediações do bairro de Felipe Camarão, na cidade de Natal, com o objetivo de convidar pastores e líderes a participar de um encontro de formação. Era domingo à noite e nos encontrávamos em uma das mais extensas ruas do bairro, onde vivia um grande número de famílias em situação de vulnerabilidade social. Ali encontramos uma igreja que chamou nossa atenção em virtude de sua estratégica localização em uma das áreas de maior visibilidade do bairro. Enquanto nos aproximávamos, notamos um grupo com não mais que cinco pessoas reunidas em clima de lamento.

O próprio pastor veio nos atender. Enquanto conversávamos, descobri que eles estavam tendo seu último culto. Aquele líder, sozinho e desencorajado, vinha tentando desenvolver o ministério em uma das áreas mais desafiadoras da cidade. É possível que a plantação daquela igreja tenha sido motivada por um autêntico chamado pastoral, porém a complexidade dos desafios locais aliada a imensos problemas eclesiais internos e ausência de apoio, estavam levando-o a desistir do ministério e ao fim daquela igreja. Com notável tristeza enquanto olhava com atenção o cartaz que acabávamos de entregar-lhe, ele nos fez uma pergunta da qual dificilmente nos esqueceremos: "Por que vocês não vieram uma semana antes?".

Atualmente não há mais vestígio algum de que um dia existiu ali uma igreja. E esse está bem longe de ser um caso isolado. Nas periferias urbanas, enquanto o número de comunidades de fé continua a crescer, há um enorme contingente de igrejas locais que se encontram ofegantes, estagnadas, incapazes de impactar o cenário ao redor, carentes de apoio, capacitação e encorajamento para cumprir seu papel missional.

Um estudo de caso

O início da Missão ALEF no bairro de Felipe Camarão, na periferia de Natal, há cerca de quinze anos, foi motivado pela presença de dezenas de igrejas naquela localidade — que, à época, era também a detentora dos mais elevados níveis de pobreza e violência da cidade. A pergunta-chave foi: "Por que, embora haja tantas igrejas nascendo neste bairro, isso não provoca mudanças na realidade local?". Foi esse o ponto de partida para um movimento de líderes comprometidos em ver o bairro e suas adjacências sendo transformados através de um esforço conjunto entre igrejas e a comunidade, e que viria a inspirar e se multiplicar em várias outras localidades ao longo dos anos.

Entre 2006 e 2016, com financiamento da Universidade Federal do Rio Grande do Norte (UFRN), foram desenvolvidos projetos de pesquisa que mapearam a presença e o impacto das igrejas evangélicas em Felipe Camarão.[1] Essas pesquisas identificaram uma tendência desafiadora que nos parece comum a outras regiões socialmente vulneráveis:

Igrejas evangélicas em Felipe Camarão		
2006	59	
Entre 2006 e 2011	+37	Em 5 anos nasceram 37 igrejas, mas 12 fecharam as portas.
	-12	

2011	84	
Entre 2011 e 2016	+43	Em 5 anos nasceram 43 igrejas, mas 26 fecharam as portas.
	-26	
2016	101	

Ou seja, quase metade das igrejas plantadas na região ao longo desse período fechou as portas ou se mudou! É certo que há muitos aspectos nesses dados que requerem maior reflexão, porém eles claramente apontam para o fato de que, tão volumoso quanto o número de novas igrejas que nascem na periferia urbana, é também o daquelas que se encontram estagnadas e agonizantes, necessitando de urgente revitalização.

Razões para a estagnação

O contexto periférico urbano apresenta inúmeros desafios aos pastores e líderes das igrejas locais, tais como violência, famílias fragilizadas, alto índice de uso de drogas, gravidez precoce e abuso sexual. Uma comunidade de fé que não compreenda adequadamente seu papel diante dessa realidade não poderá impactá-la.

Felipe Camarão ilustra, ainda, um cenário característico de comunidades empobrecidas de todos os rincões do país. O ciclo de enfraquecimento de igrejas nas periferias passa por fatores como o isolamento e a estagnação. Imersas em uma intensa programação de atividades internas, e firmemente apegadas às mesmas formas de atividade ministerial desenvolvidas ao longo dos anos, muitas igrejas enfrentam dificuldades para responder aos desafios de seu contexto local e se desenvolver de forma saudável e relevante.

Em um trabalho de pesquisa que estudou vinte igrejas locais no bairro, o sociólogo Arthur George Bezerra Jales identificou outro fator crítico: um perfil de liderança centralizador, voltado para a manutenção e não aberto ao envolvimento mais abrangente na missão. Apontou a existência de "um personalismo de lideranças" que condicionam "as formas como os membros devem agir na igreja e uma centralização de poder que concretiza posturas que não garantem a participação dos membros das igrejas".[2]

Revitalização: como ela se parece?

O dicionário Michaelis define revitalização como

"ato ou efeito de revitalizar" e como uma "série de ações planejadas, a fim de dar nova vida a algo que se encontra decadente ou abandonado".[3] Em se tratando da igreja local, estamos nos referindo a sua vida e ministério. Embora seja Deus quem revitaliza a igreja para sua missão no mundo, os líderes cristãos têm o privilégio e a oportunidade de participar desse processo, uma vez que foram dados à igreja como dons para equipar todos os crentes visando a participação na obra do ministério.

> [Cristo] designou alguns para apóstolos, outros para profetas, outros para evangelistas, outros para pastores e mestres. Eles são responsáveis por preparar o povo santo para realizar sua obra e edificar o corpo de Cristo, até que todos alcancemos a unidade que a fé e o conhecimento do Filho de Deus produzem e amadureçamos, chegando à completa medida da estatura de Cristo.
>
> Efésios 4.11-13

A leitura atenta de todo esse capítulo da carta de Paulo à igreja em Éfeso evidencia um princípio fundamental: os líderes são chamados a equipar os discípulos de Jesus para o serviço ao mundo, e não para concentrar todo o poder em torno de uma agenda centralizadora de atividades congregacionais.

Ainda na década de 1990, Robert Linthicum, pesquisador pioneiro sobre ministério urbano, dedicou-se a um cuidadoso estudo da atuação de 39 igrejas urbanas de impacto em suas localidades nos Estados Unidos, Reino Unido, Austrália, Nova Zelândia, América Latina, África e Ásia. Seu intuito era verificar se haviam similaridades nesses ministérios, a fim de identificar aspectos relevantes para o trabalho de revitalização.[4]

As igrejas por ele estudadas possuíam algumas características-chave:

1. Operavam sobre um foco missionário comum, que foi compreendido e afirmado pela maioria da congregação.
2. Estavam comprometidas com o fato de que não existiam para si mesmas, mas para o mundo fora delas, percebendo claramente que este era o seu propósito, assumindo um compromisso com o evangelismo, com as necessidades de sua comunidade e com a luta por justiça social.
3. Desenvolveram meios para que os membros

da igreja fossem revitalizados de modo a descobrir seu ministério e equipados para exercê-lo junto com outros membros.

Para que isso tudo se realize, a pesquisa concluiu, a igreja deve edificar sua ação ministerial em torno da doutrina da vocação.

Parafraseando as palavras do Senhor Jesus: onde estiver o seu calendário aí estará o seu coração! Lamentavelmente, analisando os calendários de muitas comunidades de fé, tenho percebido uma ênfase exacerbada em atividades internas, muitas vezes desgastantes, que absorvem boa parte da energia que poderia ser direcionada a mobilizar e equipar o povo de Deus para a missão de Deus na comunidade em que sua igreja se encontra.

A principal descoberta das igrejas identificadas na pesquisa de Linthicum foi que para ser eficaz em sua cidade a igreja deveria primeiramente fugir da tentativa de se preservar como instituição. Em vez disso, deveria se concentrar em se tornar um movimento. Como Jesus disse: "Se tentar se apegar à sua vida, a perderá. Mas, se abrir mão de sua vida por minha causa, a salvará" (Lc 9.24). Jesus estava sendo muito profundo nessa afirmação, não apenas com relação ao cristão individualmente, mas também quanto ao corpo de Cristo. "Se toda a energia da igreja local é investida na tentativa de preservá-la", escreveu Linthicum, "então preservação e continuidade serão exatamente o que escorrerá de suas mãos!"[5]

O processo de revitalização requer a coragem de reavaliar criticamente nossos calendários autocentrados, buscando diminuir nossa ênfase em programações internas e buscando sobretudo equipar os crentes para a missão e o serviço na comunidade, na cidade e no mundo. Linthicum enumera cinco desafios para que isso ocorra:

1. Redescobrir o referencial bíblico para uma teologia da vocação.
2. Mostrar seriedade em relação à formação espiritual pessoal e corporativa. Uma pessoa não pode descobrir seu chamado a não ser dentro do contexto do cuidado e da alimentação de seu relacionamento com Jesus Cristo.
3. Descobrir maneiras de identificar a grande ferida do mundo para a qual a pessoa se sente chamada por Deus, isto é, permitir que o coração seja quebrantado com aquilo

que quebranta o coração de Deus, e não evitar a dor.
4. Construir uma vida em comunidade, na qual cristãos chamados para a mesma necessidade humana se encontram e se unem não apenas pela dor em comum que sentem pelo mundo, mas também pela sua intensa busca de Deus e de seu cuidado para a formação espiritual e pessoal de cada um.
5. Sustentar os nossos dons e os dos outros, necessários para implementarmos a vocação. As Escrituras nos falam de três tipos de dons. Todos temos habilidades naturais e talentos, investidos em nós por Deus quando de nosso nascimento e, às vezes, provocados por disciplina e prática. Todos compartilhamos dos dons comuns aos cristãos (Gl 5.22-23). E, finalmente, existem dons espirituais específicos (1Co 12.27-30), que não podem ser acessados a menos que estejamos em um relacionamento dinâmico com Jesus Cristo e cheios do Espírito Santo.[6]

Devemos estar abertos para avaliar como nossas estruturas (programações, atividades, ministérios) refletem aquilo em que cremos. John Stott desenvolveu a expressão "Estrutura Herética",[7] para se referir a sistemas que repetimos acriticamente e que, na verdade, contradizem a declaração de fé ortodoxa que fazemos como igreja. Francis Chan aplica esse conceito da seguinte forma:

> Suponhamos que a declaração doutrinal de sua igreja diga algo sobre o fato de todo crente usar seus dons espirituais para manifestar o Espírito Santo. Isso é boa teologia. Entretanto, deixe-me perguntar: você está certo de que a estrutura da sua igreja não comunica uma teologia diferente? Essa estrutura demonstra que o dom de todo irmão realmente importa? Ou acaso ela sugere que o que vale são apenas os dons do pastor, dos líderes de ministério e de alguns músicos? Se a resposta for afirmativa, sua igreja se baseia em uma estrutura herética que certamente fala mais alto que a declaração teológica ortodoxa por ela anunciada.[8]

Se declaramos doutrinariamente que a igreja existe para a glória de Deus e para o serviço ao mundo, mas vivemos como uma instituição cuja energia é toda direcionada para atividades de manutenção que dizem respeito tão somente a nós mesmos, o que falará mais alto? Aquilo que afirmamos ou aquilo que praticamos?

Olhe novamente para o calendário e para a lista de ministérios de sua igreja. O que essas estruturas comunicam? Uma pergunta que todo líder cristão seriamente preocupado com a revitalização da igreja em que serve deve fazer é: "Qual o meu papel na revitalização de cada crente em nossa igreja local para o envolvimento prático na obra transformadora de Deus em nossa comunidade?".

Os verbos da revitalização

A caminhada para a revitalização passa pela disposição dos líderes cristãos em vivenciar com a igreja um processo que atravessa diferentes estágios, alguns dos quais identificamos nos verbos a seguir:

Aprender: abertura e humildade para aprendizagem junto a outras igrejas locais e ministérios que estão atuando de forma transformadora em seus contextos.

Encarnar: aprofundar-se no conhecimento da comunidade em que a igreja está inserida, entendendo seu perfil demográfico e realidade sociopolítica, cultural e espiritual, em interação com os atores sociais locais e discernindo ações que possam ser desenvolvidas em missão de forma contextualizada. Tal esforço de encarnação deve sempre ter em mente o modelo de Jesus encontrado em Filipenses 2.5-8.

Servir: construir com a igreja uma agenda que busque demonstrar o amor de Deus às pessoas da localidade (Mt 5.16; 1Jo 4.7-12) engajando-se com suas dores e com seus desafios, por meio de uma atuação contínua em compaixão e promoção da justiça.

Proclamar: trazer o anúncio do evangelho e suas implicações para o centro de tudo o que a igreja é, diz e faz.

Adorar: promover cultos missionais, que inspirem e equipem os cristãos em seu serviço ao mundo e comuniquem o evangelho de forma que faça sentido para crentes e não crentes.

Liderar: abrir mão de uma postura centralizadora, passando a um esforço intencional voltado a equipar cada crente para vivenciar seu chamado no reino de Deus.

Multiplicar: buscar desde o início o plantio de ministérios missionais que possam se reproduzir de forma saudável e bíblica na comunidade.

Orar: investir tempo para ouvir a voz do Senhor e discernir sua direção em relação a nossa vida e missão na comunidade.

Além disso, é essencial abrir mão do isolamento e buscar a cooperação ativa com outras igrejas locais e organizações na tarefa de alcançar e servir o bairro e a cidade. Dessa forma, aprendemos uns com os outros e somos mutuamente encorajados ao amor e às boas obras, conforme ampliamos nosso impacto transformacional em favor do avanço do reino de Deus na região em que estamos localizados.

Em todo esse processo, é muito importante refletir seriamente sobre o propósito de Deus para sua igreja. O Novo Testamento deve ser a referência nessa reflexão, através da análise das marcas de igrejas como a de Jerusalém (At 2.42-47) e Antioquia (At 8.1; 11.19-30; 13.1-3) e sua comparação com a experiência comunitária que temos vivido em nossas igrejas locais.[9]

Perguntas para reflexão

1. Reflita com seu grupo sobre a realidade da igreja local em que serve. Em quais áreas ela necessita de revitalização? Com base nos

critérios da *espiritualidade, encarnação* e *fidelidade*, avalie como ela tem desenvolvido as quatro dimensões do crescimento integral propostas por Orlando Costas e descritas na introdução. Use a tabela abaixo.

Numérica	Orgânica	Diaconal	Conceitual

2. Defina em suas palavras o que significa "revitalizar a igreja". Qual o papel a ser desempenhado pelos líderes nesse processo?
3. Avalie com seu grupo o calendário e os ministérios de sua igreja. Atualmente, estão mais voltados à manutenção interna da congregação ou existe um foco em equipar cada membro para desenvolver sua vocação

na cidade e no mundo? Conversem sobre sugestões para um plano de ação visando mobilizar cada membro para participar ativamente na missão de Deus em sua comunidade e área de influência.

2
Sinalizando o reino de Deus na cidade

No Sermão do Monte, ao ensinar seus discípulos a orar, o Senhor Jesus os orientou a clamar assim: "Venha o teu reino. Seja feita a tua vontade, assim na terra como no céu" (Mt 6.10). Trata-se de uma oração missional, que requer de quem ora uma resposta de engajamento.

O testemunho dos discípulos de Jesus por meio da proclamação e do serviço em cidades marcadas por injustiça, violência, pobreza, materialismo, secularismo, entre outros desafios, deve se caracterizar por esse ardoroso anseio para que seja feita a vontade de Deus na vida de pessoas e comunidades, assim na cidade como ela é feita no céu.

Quase 85% da população brasileira já vive em cidades, de acordo com a Pesquisa Nacional por Amostra de Domicílios de 2015, realizada pelo IBGE.[1] Al Mohler, presidente do Seminário Teológico Batista do Sul nos Estados Unidos, ao comentar o Relatório Especial de 2010 do *Financial Times* intitulado "O futuro das cidades", fez um enfático desafio:

> Uma coisa é bastante clara: as pessoas estão na cidade. No decorrer de menos de 300 anos, nosso mundo terá mudado de um lugar em que apenas 3% da população vive na cidade para um lugar em que 80% reside em áreas urbanas. Se a igreja cristã não aprender novos moldes de ministério urbano, nós nos encontraremos à margem olhando para dentro. O evangelho de Jesus Cristo tem de convocar uma nova geração de cristãos comprometidos para essas cidades borbulhantes. Como esses números deixam claro, na verdade não há escolha.[2]

A sinalização do reino de Deus nas cidades exige um esforço intencional de *discernimento*. O contexto urbano apresenta desafios específicos amplificados a cada dia pela crescente complexidade de suas centenas de comunidades, todas permeadas por necessidades e aspectos culturais específicos. Também requer *clareza teológica* quanto à amplitude do reino de Deus e do papel da igreja. Howard Snyder, citando H. Richard Niebuhr, nos lembra que "o grande despertamento e os avivamentos foram promovidos por uma nova consciência do reino vindouro", e que "os cristãos de hoje precisam de uma concepção do reino que seja completa. Só a clareza e amplidão teológica podem combater [...] o relativismo religioso indistinto".[3]

Moffitt enfatiza que o reino de Deus é a metáfora bíblica para o trabalho redentor de Deus na história.[4] No céu, a vontade de Deus é feita em sua plenitude. Na terra, os seres humanos e a criação se encontram sob o efeito do pecado, porém o reino de Deus avança em todo ambiente em que a vontade de Deus é feita.

Através do sacrifício de Jesus, Deus está reconciliando consigo todas as coisas, "tanto nos céus como na terra" (Cl 1.20). O senhorio de Cristo se estende a todas as áreas da vida! Snyder enfatiza que o reino é "Jesus Cristo e, por meio da igreja, a reconciliação de todas as coisas nele".[5]

Jesus foi enfático quanto à prioridade máxima que deveria marcar a vida de seus discípulos: buscar em primeiro lugar o reino de Deus e a sua justiça, confiando que todas as coisas necessárias para seu sustento lhes seriam dadas (Mt 6.33).

Uma pergunta que cabe a todos nós (especialmente a pastores e líderes) é: a busca "em primeiro lugar" do reino de Deus e sua justiça, "assim na terra como no céu", é a marca da presença da igreja na qual servimos em meio à comunidade em que ela se encontra? Ou a busca desenfreada pelo provimento de nossas necessidades (reais e sentidas) tornou-se nosso tema central?

Essa reflexão poderia nos conduzir a uma série de outras questões igualmente necessárias. Que realidades da cidade incomodam-nos enquanto igreja? Temos sido a boca, os pés e as mãos de Jesus Cristo em nossa cidade? Os talentos e a energia dos membros têm sido canalizados na direção do envolvimento na missão de Deus? Quanto de nosso orçamento e tempo têm sido investidos em proclamar e demonstrar o evangelho do reino? "Onde seu tesouro estiver, ali também estará seu coração" (Mt 6.21).

Indicadores de uma igreja comprometida com a sinalização do reino de Deus na cidade

As igrejas que assumem o compromisso de sinalizar o reino em sua localidade serão marcadas pela robustez teológica, mas também pela sensibilidade e missionalidade. As igrejas urbanas podem ser comparadas aos celeiros utilizados por agricultores para guardar as provisões e os grãos para a semeadura. Nelas estão "armazenados" os recursos para a transformação local. O maior recurso de uma igreja local são os discípulos de Cristo equipados pelo Espírito Santo com dons e talentos (1Co 12.4-11,28) para a proclamação e demonstração do evangelho do reino.

A seguir apresentamos alguns indicadores[6] que nos orientam nessa questão de modo ainda mais específico. Estas "marcas" podem servir como ponto de partida no trabalho de edificar igrejas saudáveis e capazes de sinalizar o reino de Deus em palavras e ações no contexto urbano.

1. *A igreja conhece e é sensível às necessidades da comunidade ao seu redor.* Buscando descobrir as oportunidades que Deus já preparou para ela na comunidade local,[7] por meio de pesquisa, oração e relacionamento a igreja se empenha em conhecer o contexto social, cultural, geográfico, espiritual e econômico ao seu redor. Conhece as pessoas que moram nos arredores do templo (idade, raça, nível socioeconômico, situação familiar), a presença ou ausência de serviços (saúde, educação, segurança, bem-estar social), a condição das moradias, os recursos da comunidade. Assim como Jesus, que

percorria as cidades e os povoados (Mt 9.35-37), essa igreja é intencionalmente "encarnacional": busca percorrer sua comunidade e responder com ações práticas às necessidades à sua volta.

2. *A igreja imita o modelo de missão de Jesus Cristo.* Como vemos em Lucas 4.17-19, a missão de Jesus inclui ao mesmo tempo pregar as boas-novas e trazer esperança aos pobres e oprimidos. É um compromisso tanto com a proclamação quanto com a demonstração do evangelho, e entende que tanto a evangelização quanto as obras de serviço comunitário são partes de seu testemunho integral. A igreja busca em sua prática ministerial integrar tanto a Grande Comissão ("vão e façam discípulos", Mt 28-19) quanto o Grande Mandamento ("amem uns aos outros", Jo 13.34).

3. *A igreja tem uma compreensão bíblica e teológica sobre o reino de Deus e a integralidade de sua tarefa missionária.* Além disso, dispõe de processos contínuos de aprendizado (capacitações, leituras, conferencias, fóruns etc.) para a mobilização de seus membros para a vida missional. Por meio desses processos os membros são estimulados a refletir sobre a identidade da igreja e a amplitude do reino e da tarefa missionária. Lamentavelmente, o

que muitos cristãos têm abraçado nos dias atuais não é a Grande Comissão, mas sim uma "grega comissão", termo cunhado por Bob Moffitt para se referir a uma visão gnóstica da missão da igreja resumida a "ganhar almas para o céu" e que esquece quão radical foi a encarnação de Cristo, que andou "por toda parte fazendo o bem e curando todos os oprimidos pelo diabo" (At 10.38). A correta compreensão da Grande Comissão como o chamado à integralidade da missão — ao discipulado das comunidades, cidades e nações — impulsionará a igreja a levar o evangelho todo para todas as pessoas e para a pessoa toda, para todas as áreas da vida e para todas as esferas da sociedade. Essa igreja entende que tal engajamento não ocorre através de eventos isolados, mas sim de um processo, e buscará continuamente promover o despertamento vocacional e a atuação prática de seus membros na proclamação e demonstração do evangelho.

4. *A igreja desenvolve pelo menos uma ação concreta de serviço e envolvimento com sua comunidade.* Há dois perigos a serem evitados: a tentação de a igreja sentir-se "dona" das ações (as iniciativas devem ser planejadas e realizadas *com* as pessoas

da comunidade e não *para* elas) e a tentação de a igreja focar-se nas ações mais imediatistas e assistenciais (as iniciativas de maior impacto são de longo prazo e envolvem trabalho comunitário com base na igreja). As ações devem começar pequenas e ganhar maior proporção à medida que são desenvolvidas.

5. *Os dons e recursos dados por Deus à igreja são utilizados na missão.* A estrutura física é utilizada para ações de serviço à cidade. O mesmo se dá com os demais recursos que Deus outorga à igreja, como as finanças e os dons e talentos dos membros. Equipes de ministério interdisciplinares desenvolvem diferentes abordagens para servir e alcançar as famílias da cidade. É uma igreja "outrocentrada" e não autocentrada.

6. *Há trabalho participativo e investimento intencional para desenvolver liderança servidora.* O desenvolvimento de líderes ocupa lugar de destaque. O perfil de liderança prioriza o caráter e não o carisma, a paixão pelo reino e não pela instituição. O impacto é ainda maior quando essa formação é orientada pelo equilíbrio entre teoria (ou teologia) e prática.

7. *Existe compromisso com o discipulado por meio da prática das disciplinas espirituais (oração, estudo,*

jejum, meditação etc.). Essa igreja entende que o discipulado é um processo para toda a vida e busca ser uma facilitadora para que seus membros tenham as marcas de um caráter transformado por Cristo, tais como integridade, compaixão e generosidade, incluindo o "fruto do Espírito" (Gl 5.22-23).

8. *A igreja tem um planejamento estratégico definido que é coerente com os desafios da cidade.* O pensamento estratégico é valorizado, com alvos claros e tarefas definidas para alcançá-las (visão, missão e valores), bem como uma sólida identidade baseada nas Escrituras direcionada às demandas da cidade e à busca pela fidelidade da igreja em sua missão como agência sinalizadora do reino de Deus.[8]

9. *A igreja busca mobilizar seus membros para levantar a voz em favor dos que não podem se defender e em favor da justiça na cidade.* Temas como a violência urbana e o enfrentamento ao abuso sexual de crianças e adolescentes mobilizam essa igreja para falar e agir em favor dos necessitados. Existe constante preocupação sobre quais são aqueles que "não podem se defender" (Pv 31.8-9) na cidade e como a igreja pode cumprir o chamado de falar em prol deles, dando voz aos que não têm voz e visibilidade aos invisíveis da sociedade.

10. *A igreja busca desenvolver um ministério equilibrado, enfatizando diferentes dimensões da missão no contexto urbano.* Há ênfase na evangelização e no serviço comunitário, em pequenos grupos de discipulado e nas causas relacionadas à justiça social, na pregação expositiva e no desenvolvimento de líderes, no plantio de igrejas e nas missões transculturais. Busca-se uma clareza teológica e ministerial que se expressa no equilíbrio e compromisso prático com a amplitude do reino de Deus e da missão da igreja.

Tais indicadores podem nos ajudar no diagnóstico de onde estamos em nossa ação missional, bem como na tomada de passos efetivos. Missionários, líderes, pastores e plantadores de igrejas devem cultivar o hábito salutar de refletir sobre suas práticas e abordagens de ministério, uma vez que, por mais parecidas que sejam, não existem duas cidades ou comunidades iguais.

Perguntas para reflexão

1. Como a igreja em que você serve poderia aprofundar seu compromisso com a sinalização do reino de Deus em palavras e obras na comunidade onde ela se encontra?

2. Veja o quadro abaixo com os dez indicadores e pense sobre a realidade de sua igreja e comunidade. Dê uma nota de 1 a 5 para cada um desses indicadores na vida e ministério de sua igreja. Quais seriam os três principais itens que você precisa desenvolver em sua igreja?

Indicador	Nota
1. A igreja conhece e é sensível às necessidades da comunidade ao seu redor.	
2. A igreja imita o modelo de missão de Jesus Cristo.	
3. A igreja tem uma compreensão bíblica e teológica sobre o reino de Deus e a integralidade de sua tarefa missionária.	
4. A igreja desenvolve pelo menos uma ação concreta de serviço e envolvimento com sua comunidade.	
5. Os dons e recursos dados por Deus à igreja são utilizados na missão.	
6. Há trabalho participativo e investimento intencional para desenvolver liderança servidora.	

7. Existe compromisso com o discipulado por meio da prática das disciplinas espirituais.	
8. A igreja tem um planejamento estratégico definido que é coerente com os desafios da cidade.	
9. A igreja busca mobilizar seus membros para levantar a voz em favor dos que não podem se defender e em favor da justiça na cidade.	
10. A igreja busca desenvolver um ministério equilibrado, enfatizando diferentes dimensões da missão no contexto urbano.	

3
Em direção ao movimento urbano do evangelho

Há ainda outro elemento fundamental para igrejas que desejam se engajar efetivamente na sinalização do reino de Deus em sua cidade: a catolicidade, conceito que exprime o ensino bíblico de que a igreja como um todo é mais que a igreja local.

O ministério missional urbano requer, a princípio, a compreensão de que não fomos chamados para simplesmente formar nossa própria tribo,[1] uma vez que alcançar a cidade, por meio da proclamação e demonstração do evangelho, implica um trabalho dirigido pelo Espírito Santo, que envolve a diversidade existente no cerne do povo de Deus, ainda que muitos desses segmentos pensem de forma diversa às nossas perspectivas teológicas e práticas eclesiásticas.

Entretanto, essas múltiplas identidades não podem constituir um obstáculo ao objetivo da missão. Ao contrário, ela deve estimular a formação de redes ministeriais que funcionem como agregadores de ideias, vocações e projetos e que tenham por alvo a transformação e o desenvolvimento das comunidades urbanas, a assistência aos grupos em estado de vulnerabilidade, bem como o enfrentamento da desigualdade, da injustiça e da opressão.

A tarefa de alcançar e transformar uma cidade ou uma comunidade, portanto, não é de uma única igreja, mas sim do corpo local de Cristo. Quantas igrejas existem em sua localidade? Apenas uma! Espalhada em diferentes denominações e comunidades, mas que constituem um único povo com uma só missão.

Em nosso trabalho com a Missão ALEF em Natal, identificamos dois dentre os principais motivos para que dezenas de igrejas em uma mesma área geográfica não tenham maior impacto nas estruturas da cidade: uma visão missiológica reduzida e a ausência de unidade do corpo de Cristo.[2]

É necessário repensar a eficácia de nossos modelos missionais. Como já dissemos, as comunidades estão cheias de igrejas centradas apenas no esforço evangelístico, entendido como salvar almas para o céu, mas que não se lembram da radicalidade da encarnação de Jesus, que em seu ministério ia por toda a parte "fazendo o bem e curando" (At 10.38). Urge que empreendamos esforços a fim de ampliar nossa compreensão da missão, que se baseia não apenas em "ganhar almas", mas em levar o evangelho todo para a pessoa toda e para todas as áreas da vida, discipulando e servindo as comunidades nas quais atuamos.

Afinal, para que a igreja está presente na cidade? Uma das razões principais é para que se identifique com ela, e assim sirva de forma concreta frente a seus desafios. Comentando sobre a carta de Jeremias aos exilados na Babilônia (Jr 29.4-7), sem dúvida uma das passagens bíblicas mais importantes a respeito do ministério urbano do povo de Deus, Keller destaca:

> Os israelitas estão exilados, conquistados por uma nação ímpia e terrível chamada Babilônia. O que Deus diz a eles? Ele diz: "Identifiquem-se com a prosperidade da cidade". Ele não diz: "Vá pela cidade e pregue para ela; distribua folhetos e depois caia fora". Ele diz: "Construam casas. Estabeleçam-se nelas. Tenham filhos. Identifiquem-se com a cidade. Identifiquem-se com o povo dela, com o bem-estar da cidade. Entrelacem-se nela de tal forma que resulte em completude e saúde para a cidade".

Amar e pregar o evangelho e não fazer algo a respeito do baixo desempenho das escolas, da escassez de moradias populares, da insegurança nas ruas... Se você não faz nada a respeito disso, então saiba que não está fazendo o que Deus quer que você faça. Deus chamou os cristãos para ficarem na cidade e identificarem-se com ela. [...]

Se você está numa cidade ou comunidade que está despedaçada, onde as pessoas estão exaustas ou perdidas espiritualmente, onde há violência — fique tanto quanto for possível. Identifique-se o máximo que puder. Você tem de se conscientizar disso, mas Jeremias adverte que não basta sentir algo. Não basta pregar. Identifique-se. Sirva. Ore pela paz da cidade.[3]

A unidade que se expressa na cooperação missional do povo de Deus foi o tema da oração do Senhor Jesus.

Não te peço apenas por estes discípulos, mas também por todos que crerão em mim por meio da mensagem deles. Minha oração é que todos eles sejam um, como nós somos um, como tu estás em mim, Pai, e eu estou em ti. Que eles estejam em nós, para que o mundo creia que tu me enviaste. Eu dei a eles a glória que tu me deste, para que sejam um, como nós somos um.

João 17.20-22

Jesus orou por todos aqueles que creriam nele, a fim de que pudessem expressar de formas concretas a unidade perfeita que é vista na Trindade, e assim glorificassem a Deus com um testemunho relevante no mundo.

O documento resultante da reunião de 4.200 líderes evangélicos de 190 nações no III Congresso de Lausanne para a Evangelização Mundial, realizado em 2010 na África do Sul, denominado "Compromisso da Cidade do Cabo", fez uma enfática convocação:

> Paulo nos ensina que a unidade cristã é criação de Deus, com base em nossa reconciliação com Deus e uns com os outros. Essa dupla reconciliação foi realizada através da cruz. Quando vivemos em unidade e trabalhamos em parcerias, demonstramos o poder sobrenatural e contracultural da cruz. Mas quando demonstramos nossa desunião através da incapacidade de formar parcerias, rebaixamos nossa missão e mensagem e negamos o poder da cruz. [...] Uma igreja dividida não tem mensagem para um mundo dividido. [...]
>
> Embora reconheçamos que nossa unidade mais profunda seja espiritual, ansiamos por maior reconhecimento do poder missional da unidade visível, prática e terrena. Portanto apelamos aos irmãos e

irmãs que resistam à tentação de dividir o corpo de Cristo e que busquem caminhos de reconciliação e de restauração da unidade sempre que possível.[4]

Ouçamos este apelo! Por maior que seja, nenhuma igreja local pode mudar sozinha toda uma região. Esse trabalho é coletivo.

Construindo um movimento do evangelho

O impacto que as igrejas podem realizar na cidade só é possível a partir de uma dinâmica de movimento. Para alcançar e transformar uma cidade através da proclamação e demonstração do evangelho, igrejas locais devem atuar juntas em uma dinâmica de movimento onde sejam encontradas as três características abaixo:

> Visão → Cooperação → Encorajamento →

Quando várias igrejas se unem em torno de uma visão comum de seu papel como agência do reino de Deus frente aos desafios de sua cidade, exercendo a cooperação e o mútuo encorajamento para a "prática do amor e das boas obras" (Hb 10.24), um movimento acontece.

No trabalho de campo com a Missão ALEF em áreas empobrecidas do contexto brasileiro, o desenvolvimento dessa dinâmica de movimento tem se dado mediante a formação de redes de trabalho autossustentáveis com igrejas e líderes de um mesmo bairro ou cidade, as quais devem simultaneamente se constituir em:

Comunidades de aprendizagem. Isto é, comunidades nas quais se abordam os temas pertinentes à cooperação do povo de Deus na missão integral em meio ao contexto local. Através de formações presenciais e *on-line*, intercaladas por discussões em grupo sobre a aplicabilidade dos princípios, elementos e fatores de impacto da igreja em seu ministério integral, as redes podem melhor preparar líderes para a ação missional, encorajando-os na busca de uma teologia saudável, entendendo e refletindo sua identidade e papel em abençoar suas comunidades.

Comunidades de cuidado mútuo. Criação de um ambiente onde cuidado pastoral, encorajamento e apoio possam ser estendidos, gerando relacionamentos saudáveis e íntegros. Isso se dá de diferentes formas, mas normalmente através de encontros periódicos de pequenos grupos de líderes locais que caminham por um longo tempo, construindo uma jornada não apenas de trabalho em conjunto, mas de amizade sólida e prestação de contas. Assim, homens e mulheres que, por anos, trabalharam no mesmo bairro sem nenhum contato podem partilhar lutas e alegrias, vindo a se tornar verdadeiros "companheiros de jugo".

Comunidades de cooperação. Sobre o alicerce da aprendizagem contínua e do cuidado mútuo, é possível edificar a unidade em torno de uma visão prática de cooperação para a missão integral de Deus, em iniciativas coletivas que envolvam os desafios locais por meio de ações de diaconia, defesa de direitos e promoção da justiça, mas também de evangelização, discipulado e revitalização/plantação de igrejas. O grande diferencial dessas ações é que elas têm como base igrejas locais servindo juntas em suas comunidades. As redes se tornam, portanto, um espaço para a unidade do corpo local de Cristo em torno de uma visão bíblica para a transformação da comunidade, com base em igrejas saudáveis e onde são encontrados encorajamento e ferramentas para que os passos para sua efetivação comecem a ser dados de modo imediato.

Esse movimento integrativo promovido pelas redes ministeriais urbanas proporciona crescente conhecimento dos problemas que afligem a cidade, através do estudo, da pesquisa e da experiência das instituições participantes, gerando uma saudável comunhão na busca por soluções que melhorem cada vez mais a qualidade de vida das pessoas e, acima de tudo, glorifiquem o nome do Senhor.

Não se pode esquecer que esse movimento entre igrejas tem elevado potencial mobilizador dos membros dessas igrejas, fomentando um ambiente propício ao pleno desenvolvimento de suas vocações e ministérios, para ações desenvolvidas com os recursos locais.

Em última análise, contudo, convém lembrar que não somos capazes, por conta própria, de começar um movimento. Isso só é possível por intermédio da ação providencial de Deus. "Pois Deus está agindo em vocês, dando-lhes o desejo e o poder de realizarem aquilo que é do agrado dele" (Fp 2.13). Isso nos remete ao lema de Hudson Taylor, missionário que dedicou sua vida para promover um movimento no interior da China. Quando perguntado sobre como faria isso, Taylor respondia: "Nós vamos avançar de joelhos".

A ação prática na construção de redes de aprendizagem, cuidado mútuo e trabalho missional para responder aos desafios da cidade deve ser combinada com a oração intensa e focada pela intervenção do Espírito Santo. "Venha o teu reino" e "Seja feita a tua vontade em nossa cidade, como ela é feita no céu" devem ser tanto o nosso clamor ao Pai quanto a motivação por trás de nosso trabalho. Para a edificação de um movimento, a adoração e a intercessão devem ser combinadas com a cooperação e a prática do bem, como somos instados em Hebreus 13.15-16: "Assim, por meio de Jesus, ofereçamos um sacrifício constante de louvor a Deus, o fruto dos lábios que proclamam seu nome. E não se esqueçam de fazer o bem e de repartir o que têm com os necessitados, pois esses são os sacrifícios que agradam a Deus".

Imagine dezenas de igrejas em sua cidade unidas para orar e trabalhar juntas em prol da sinalização do reino, promovendo transformação social, espiritual e cultural no contexto em que estão. Isso é possível! Na verdade, está acontecendo agora mesmo. Ao longo dos últimos anos, nossa equipe da Missão ALEF tem visto o nascimento de diversos movimentos de mobilização e cooperação em torno da missão integral de Deus em bairros e comunidades empobrecidas, por meio de nossas redes de pastores e líderes. O resultado concreto desses esforços locais é que líderes têm sido equipados e encorajados nas próprias localidades em que atuam, igrejas têm sido revitalizadas, e muitas iniciativas de desenvolvimento comunitário altamente contextualizadas e centradas no evangelho têm surgido a partir da cooperação entre lideranças de dezenas de denominações. Atualmente essas redes já estão presentes em Natal (no bairro de Felipe Camarão e suas adjacências e também na zona norte da cidade); no Cabo de Santo Agostinho, em Pernambuco; no bairro do Capão Redondo, em São Paulo; em Joinville, Santa Catarina; em Teixeira de Freitas, na Bahia; em João Pessoa, Santa Rita e em diversas cidades do sertão, na Paraíba; e com iniciativas de expansão em diversas localidades, como o Rio de Janeiro, o sertão do Rio Grande do Norte e outras regiões.

O clima está favorável!

Alguns anos atrás, visitei Jardim Gramacho, uma comunidade de Duque de Caxias, no Rio de Janeiro, que abrigou por 32 anos o maior lixão da América Latina.[5] Um total de 44 líderes, pastoras e pastores de diversas igrejas locais dessa comunidade atenderam ao convite para juntos refletirmos sobre a missão transformadora da igreja e conversamos sobre a formação de um movimento local de cooperação entre líderes, igrejas e organizações missionais para o alcance e a transformação da realidade do bairro. O encontro ocorreu no prédio da Assembleia de Deus local.

Sempre que ministro, buscando ajudar líderes em comunidades empobrecidas a começar seu próprio movimento local, cito a passagem de 1Coríntios 3.6-9 para destacar que, assim como uma lavoura, um movimento de caráter missional é resultado da combinação de dois conjuntos de fatores: uma lavoura cresce pelo trabalho diligente de seus lavradores e pelas condições do solo e do clima.[6] O primeiro está relacionado com nossa dedicação e empenho para a formação de redes de trabalho autossustentáveis. O segundo conjunto de fatores — as condições — pertence, porém, totalmente a Deus. Somente ele pode abrir o solo (os corações) e o clima (a cultura local) ao avanço do evangelho integral.

Encerramos a manhã com uma mesa de conversa na qual pensamos juntos sobre a formação de uma rede de trabalho missionário na comunidade. Uma líder atuante ali há vários anos disse: "Foi mencionado que apenas Deus pode abrir o clima, e aqui *o clima está favorável*! Em qualquer beco, viela, onde chegamos os fuzis se abaixam, as cabeças se abaixam e nós podemos entrar para cumprir a missão. Poderá chegar o dia em que clima esteja desfavorável e ainda assim deveremos ir, mas iremos para morrer. Devemos agir imediatamente, pois o clima está favorável!".

Confesso que deixei o local ao final da manhã com estas palavras ecoando em minha mente, que foi tomada pela lembrança de diversas outras comunidades empobrecidas onde também temos podido servir o corpo de Cristo, e de como temos testemunhado Deus agir nessas realidades tão diversas — de áreas do sertão nordestino até bairros de grandes cidades.

Como já afirmamos anteriormente, não se deve esperar que haja um grande grupo de líderes ou igrejas envolvido para começar um esforço de unidade. Se há em seu bairro um pequeno grupo de homens e mulheres de algumas poucas igrejas locais seriamente comprometidos com Deus, com sua Palavra e missão, reunidos em oração, reflexão e ação, e decididos a mobilizar outros em torno de uma visão dinâmica para a cidade ou bairro, um movimento pode estar iniciando nesse lugar agora mesmo.

Neste exato momento, nas muitas comunidades das cidades brasileiras, enquanto milhares de famílias lidam com os desafios das doenças, do desemprego, da violência e da vulnerabilidade, diversas portas se encontram abertas para a ação abençoadora e transformadora da igreja de Jesus, que deve se dar através de um esforço dinâmico de unidade do corpo local de Cristo.

O clima está favorável!

Perguntas para reflexão

1. Existe abertura das igrejas para a cooperação e unidade em seu bairro ou cidade? Como este capítulo desafiou você a cooperar com a formação de um movimento na região em que sua comunidade se encontra?
2. Considere os três valores de um movimento propostos neste capítulo e escreva algumas ideias para desenvolvê-los mediante um esforço de cooperação entre igrejas de sua comunidade (use o quadro direito da

tabela para escrever algumas ideias práticas de ações).

Valores	Ideias para desenvolver um movimento em sua comunidade
Comunidade de aprendizagem	
Comunidade de cuidado mútuo	
Comunidade de cooperação na missão	

CONCLUSÃO
Igrejas vivas revitalizando a comunidade

Porque Ele vive, posso crer no amanhã
Porque Ele vive, temor não há
Mas eu bem sei, eu sei, que a minha vida
Está nas mãos de meu Jesus, que vivo está.

Foi um dos momentos mais marcantes dos últimos dois anos. A letra da composição de Bill e Gloria Gaither, inspirada na passagem bíblica de João 14.19, era entoada com alegria por pastores e líderes das mais diversas denominações enquanto juntos preparavam cestas de alimentos que iriam suprir por vários dias cerca de 1.500 pessoas em situação de vulnerabilidade, ajudando-as a garantir sua segurança alimentar e nutricional.

Quando a COVID-19 chegou a nossa região, com suas consequências nefastas, entre as quais a fome, fomos forçados a refletir seriamente em oração sobre como responder fielmente à nova realidade. Foi tudo muito rápido. Em 12 de março de 2020, o primeiro caso de contaminação pelo novo coronavírus foi identificado em Natal, e levaria apenas alguns dias para que ingressássemos em um período cada vez mais duro de isolamento social, luto e carências crescentes. Como deveríamos agir?

O projeto Compaixão COVID-19, que lançamos ainda naqueles dias, viria a se tornar um amplo esforço de unidade do corpo de Cristo em Felipe Camarão e adjacências, na região oeste de Natal, e na região norte, que juntas abrigam mais de 50% da população pobre e 60% do total das favelas do município — atualmente envolvendo mais de cem igrejas locais em duas redes articuladas pela Missão ALEF nessas localidades.

Em cooperação foram desenvolvidas ações contextuais e compassivas que estenderam proteção e apoio emergencial a milhares de pessoas: entrega de toneladas de cestas de alimentos e *kits* de higiene para prover quase duas mil famílias em áreas mais empobrecidas; instalação de pia móvel e doação de filtros de barro para famílias que vivem em barracos, sem acesso a água encanada, fortalecendo a prevenção ao vírus; instalação de faixas educativas nas fachadas dos prédios das comunidades de fé e campanhas de orientação sanitária; doação de sangue para repor os estoques do hemocentro local; encorajamento para profissionais de saúde na linha de frente; produção de "bolsas de esperança" para prover centenas de crianças em vulnerabilidade com material educativo e bíblico adequado a sua idade e ajudá-las a lidar com o período de isolamento; apoio a famílias assistidas para iniciar pequenos negócios que produzam renda para seus lares; entre outras tantas ações.

As igrejas da região têm aprendido a atuar juntas em seu papel missional como agências de transformação e esperança, canalizando os recursos já existentes nas próprias comunidades de fé, entendendo que "Deus não nos deu um Espírito que produz temor e covardia, mas sim que nos dá poder, amor e autocontrole" (2Tm 1.7). Poder para agir com esperança e criatividade; amor para proclamar e servir, especialmente os mais vulneráveis; e autocontrole para promover o cuidado dos cristãos e de seus entes queridos.

É assim que se parece a revitalização, uma vez que ela é mais bem definida como o resgate da biblicidade, da apostolicidade e da missionalidade da igreja local, no propósito de encarnar sua tarefa como agência do reino de Deus na terra.

Quando a All Souls Church, igreja na qual exerceu seu longo e frutífero pastorado na Inglaterra, aproximou-se de seu aniversário de 150 anos, John Stott recebeu um pedido para que pregasse trazendo uma visão para o futuro. O sermão foi denominado "Sonho com uma igreja viva", e acabou se tornando uma inspiração para muitos ao destacar algumas marcas bíblicas que se mostraram aplicáveis em diferentes contextos. A respeito do serviço, Stott escreveu:

> Sonho com uma igreja que seja uma igreja que sirva —
> que veja Cristo como o Servo e ouça o seu chamado para ser também serva,
> que seja liberta do interesse próprio, virada do avesso, e se dê de modo altruísta ao serviço dos outros,
> cujos membros obedeçam ao mandamento de Cristo de viver no mundo, permear a sociedade secular, ser o sal da terra e a luz do mundo,
> cujo povo compartilhe as boas-novas de Jesus simplesmente, naturalmente e entusiasticamente com seus amigos,

que sirva com diligencia à própria paróquia, bem como aos residentes e trabalhadores, famílias e solteiros, nacionais e imigrantes, idosos e criancinhas,

que esteja alerta às necessidades em mudança da sociedade, sensível e flexível o bastante para continuar adaptando seu programa para ser mais útil no serviço,

que possua uma visão global e esteja constantemente desafiando seus jovens a entregar a vida ao serviço e constantemente enviando seu povo para servir.

Sonho com uma igreja que sirva.[1]

Como líderes cristãos vivendo nas cidades brasileiras no século 21, também somos desafiados a sonhar com uma igreja assim. No Novo Testamento encontramos exemplos de cidades como Éfeso (At 19), impactadas em sua realidade espiritual, social, econômica e cultural, através do desenvolvimento integral do corpo de Cristo.

Nossos bairros e comunidades necessitam da atuação de igrejas marcadas pelo serviço, atentas às dores e carências das cidades. Igrejas repletas de gente parecida com Jesus, trabalhando como agências de transformação, em generosidade, coragem e serviço, apaixonadamente proclamando o evangelho e demonstrando o senhorio de Cristo sobre todas as áreas da vida.

Agradecimentos

A Douglas Lamp (*in memorian*), meu mentor e amigo, com gratidão por todo o seu encorajamento ao longo da jornada. Embora tenha partido para estar com o Senhor antes de ver esta obra pronta, muito das reflexões aqui reunidas é resultado de seu investimento constante e perseverante sobre minha vida.

A Adryelle, minha linda esposa. Seu amor e sua dedicação tornam a vida e o ministério mais alegre e vibrante. Obrigado por todo o seu apoio e dedicação, incluindo as horas dedicadas em ajudar-me na revisão desta obra. Servir ao seu lado tem sido um maravilhoso presente do Senhor.

Aos amigos da diretoria da Missão ALEF, Renildo, Mendes, Valtenci, Artur e Hudson, e aos muitos pastores e líderes com quem tenho o privilégio de caminhar nas redes locais e que têm me ensinado o real significado de revitalização.

A Arturo Meneses, Thomas Smoak, José Marcelo e Paulo Moreira, mentores que continuam acreditando e se dedicando a ajudar-me na jornada de seguir a Jesus na missão dele.

Ao meu Redentor: o Senhor, Modelo e Empoderador da missão. "Pois todas as coisas vêm dele, existem por meio dele e são para ele. A ele seja toda a glória para sempre! Amém" (Rm 11.36).

Notas

Introdução

[1] Orlando Costas, "Dimensiones del crescimento integral de la iglésia", in: *Revista Misión*, nº 2, 1982, <http://ediciones.kairos.org.ar/wp-content/uploads/2017/12/Misión-02-1982-Reflexiones-en-torno-a-la-guerra-de-Malvinas.epub>.

[2] Ibid.

[3] Ibid.

Capítulo 1

[1] Ver Dannyel Brunno Herculano Rezende, Bruno César Ferreira de Barros Correia e Orivaldo Pimentel Lopes Junior, "Evangelismo e participação em Natal/RN: por uma cultura sociopolítica da mudança", *Revista Cronos*, v. 12, nº 1, <https://periodicos.ufrn.br/cronos/article/view/3153>; Bruno César Ferreira de Barros Correia, "As igrejas mostram sua cara: um estudo sobre a 'face pública' das igrejas evangélicas nos bairros de Felipe Camarão e Guarapes (Natal-RN)", *Revista Inter-Legere*, nº 5, <https://periodicos.ufrn.br/interlegere/article/download/4614/3780/>.

[2] Arthur George Bezerra Jales, "Hierarquia e Democracia: uma análise no processo decisório das igrejas evangélicas no bairro de Felipe Camarão (Natal/RN)", trabalho de conclusão de curso (graduação em Ciências Sociais), Universidade Federal do Rio Grande do Norte, Natal, 2018.
[3] Dicionário Michaelis, verbete "revitalização", <http://michaelis.uol.com.br/busca?r=0&f=0&t=0&palavra=revitaliza%C3%A7%C3%A3o>.
[4] Robert C. Linthicum, *Revitalizando a igreja: Como desenvolver sua igreja para um ministério urbano efetivo* (São Paulo: Bompastor, 1996).
[5] Ibid., p. 48.
[6] Ibid., p. 65-66.
[7] John Stott, *A igreja autêntica* (Viçosa, MG: Ultimato; São Paulo: ABU Editora, 2013).
[8] Francis Chan, *Cartas à igreja* (São Paulo: Mundo Cristão, 2019), p. 152.
[9] Um excelente recurso para isso é o livro de Timothy Carriker, *O que é Igreja Missional: Modelo e vocação da igreja no Novo Testamento* (Viçosa, MG: Ultimato, 2018).

Capítulo 2
[1] IBGE Educa, "População rural e urbana", <https://educa.ibge.gov.br/jovens/conheca-o-brasil/populacao/18313-populacao-rural-e-urbana.html>.
[2] Al Mohler, citado em Timothy Keller, *Igreja centrada: Desenvolvendo em sua cidade um ministério equilibrado e centrado no evangelho* (São Paulo: Vida Nova, 2014), p. 188.

[3] Howard Snyder, *A comunidade do Rei: Uma reflexão sobre a igreja que Deus quer* (São Paulo: ABU Editora, 2004), p. 27.
[4] Bob Moffitt, *Se Jesus fosse prefeito: Transformação e a igreja local* (Curitiba: JOCUM. 2011), p. 88.
[5] Snyder, *A comunidade do Rei*, p. 15.
[6] Sou grato pelo esforço de Arturo Meneses em articular no primeiro Fórum de Missão Integral, realizado pela ALEF alguns anos atrás, uma primeira lista de marcas de uma "Igreja que pratica a missão integral". Com o tempo, essa lista foi sendo desenvolvida e ampliada por outros de nós, com a inclusão de alguns elementos e alteração de outros, mas a referência daquela lista original permanece e é a base da lista que apresentamos neste capítulo. Cabe-nos ressaltar que estas são apenas algumas características que podem servir de ponto de partida, mas não se trata, definitivamente, de uma relação exaustiva. Há muitas outras características não mencionadas aqui.
[7] Bruce e Anna Borquist abordam esse e outros tópicos no artigo "Os fatores essenciais e as melhores práticas para engajar sua igreja na missão integral de Deus", do livro *A Igreja e sua missão transformadora*, publicado pela Ultimato em parceria com a Missão ALEF e disponível gratuitamente para *download* no portal Ultimato: <https://www.ultimato.com.br/loja/produtos/a-igreja-e-sua-missao-transformadora-ebook>.
[8] O Centro de Treinamento para Plantadores de Igrejas (CTPI) tem desenvolvido um programa de "gestão

missional e estratégica" para ajudar igrejas a desenvolver um plano de ação nessa direção. Para maiores informações, acesse: <www.ctpi.org.br>.

Capítulo 3
[1] Keller, *Igreja centrada*, p. 296.
[2] Para maiores informações sobre este tema, leia o artigo "Movimento: Igrejas saudáveis servindo juntas na missão integral de Deus", que escrevi para o livro *Igreja em movimento, comunidades em transformação* (São Paulo: Garimpo Editorial, 2016).
[3] Timothy Keller, *Why God Made Cities* (New York: Gospel in Life Resources, 2013), p. 38.
[4] Compromisso da Cidade do Cabo, IIF, <https://lausanne.org/pt-br/recursos-multimidia-pt-br/ctc/compromisso>.
[5] Ver María Martín, "A 30 quilômetros de Ipanema, a vida passa com menos de três reais por dia", *El País*, 11 de dez. de 2017, <https://brasil.elpais.com/brasil/2017/12/11/politica/1512998294_705549.html>.
[6] Devo essa ilustração à abordagem da "metáfora da lavoura" que Tim Keller desenvolve com base em 1Coríntios 3.6-9 e com muita propriedade em *Igreja centrada*.

Conclusão
[1] Stott, *A igreja autêntica*, p. 164-167.

Sobre o autor

Leandro Silva Virginio é presidente da Missão ALEF (www.missaoalef.org), organização missionária de mobilização, formação de redes e treinamento de igrejas. Ele e sua esposa, Adryelle, são missionários da Action International Ministries e residem em Natal (RN), onde trabalham a partir do bairro de Felipe Camarão. É graduado em liderança avançada pelo Haggai Institute e integrante da equipe executiva do Movimento de Lausanne no Brasil.

Compartilhe suas impressões de leitura,
mencionando o título da obra, pelo e-mail
opiniao-do-leitor@mundocristao.com.br
ou por nossas redes sociais

Esta obra foi composta com tipografia Calluna
e impressa em papel Pólen Soft 80 g/m² na gráfica Eskenazi